G000099819

Ici,
Super Juju !

Loi n° 49956 du 16 juillet 1949 sur les publications destinées à la jeunesse
ISBN : 978-2-09-252548-7
N° éditeur : 10160188 – Dépôt légal : mars 2010
Imprimé en France - L52710A

Ici, Super Juju !

Texte de René Gouichoux
Illustré par Thomas Baas

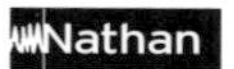

Lui, c'est Jules.
Jules est un garçon comme les autres...
enfin, presque comme les autres.
En fait, Jules possède un super secret...

Chut !
sj

C'est un superhéros avec des super pouvoirs! Tous les jours, il sauve la planète.

C'est moi,
Super Juju !
J'arrive !

Au plus petit souci, on fait appel à lui.
Hier, le superhéros a aidé
une jeune fille en détresse.

Avant-hier, il a délivré une mamie d'un monstre redoutable et poilu.

Imaginez! Grâce à ses super pouvoirs, Jules entend les appels du monde entier.

Et quoi qu'il soit en train de faire,
qu'il mange, qu'il regarde la télé,
qu'il prenne son bain,
quand on l'appelle, il doit intervenir.

Du coup, quand on passe ses nuits à sauver le monde, c'est parfois difficile de se réveiller le matin. Même quand on s'appelle Super Juju. Heureusement, Maman est là :

C'est ainsi : pas de répit pour
le superhéros. Il faut y aller !

Mais voilà qu'un jour, à l'école,
une nouvelle élève arrive.

– Je vous présente Perrine,
annonce la directrice.
Perrine dit simplement :

Il n’en faut pas davantage à Jules.
Bing, bang, bong! à l’instant même,
il tombe amoureux.
Il pense:

À la récréation, Jules décide
de parler à Perrine. Il s'approche
d'elle. Mais soudain, il entend un appel
à l'aide. Il a juste le temps de dire :

Puis, vite, il court à l'abri d'un buisson,
se transforme en superhéros
et file dans le ciel.

Cette fois, il a sauvé une dame.
Elle était si contente qu'elle lui a fait des tas de bisous : Jules est couvert de traces de rouge à lèvres !
Et quand il revient, Perrine le regarde bizarrement. Jules veut s'expliquer, mais, dring ! la cloche sonne la fin de la récré.

DRRRRRiiiiiiiiNG
Ah zut,
c'est trop bête !

Et vous savez quoi ? Toute la semaine, la même scène se reproduit.

– Au secours, Super Juju !

À l'aide, Super Juju !

On n'arrête pas d'appeler le superhéros.

Chaque fois qu'il va parler à Perrine,
Jules a juste le temps de lui dire :

Ce soir encore, Jules est tracassé. Il revient d'une mission réussie, mais il a la tête ailleurs. Il ne pense qu'à sa bien-aimée. Il soupire :

Soudain, c’est le drame.
Perdu dans ses pensées,
Super Juju aperçoit une antenne
au dernier moment! Et bing!
BiNG

À moitié assommé, Jules chute dans
le vide à une vitesse extraordinaire.
Heureusement, Monsieur Super,
le sauveteur de la nuit, se saisit de lui
au moment où il va toucher le sol.
Il était temps.

– Qui es-tu ? demande Monsieur Super à Jules.

Jules lui raconte toute sa vie.

Ce n'est pas facile
de sauver la planète
et de faire mes devoirs !

Monsieur Super réfléchit un long moment, puis explique :

– Tu sais, superhéros, c'est un travail d'adulte, c'est trop dangereux pour les enfants. Ton travail, aujourd'hui, c'est d'aller à l'école. Quand tu seras plus grand, tu pourras revenir sauver la planète.

Jules a suivi les conseils de Monsieur Super. Le lendemain, en arrivant à l'école, il se précipite vers Perrine :

Personne ne sait ce que Jules
a dit à Perrine. Mais tout le monde
a vu Perrine lui donner un joli bisou.
Et désormais pour Jules,

Le texte à lire dans les bulles est conçu
pour l'apprenti lecteur.
Il respecte les apprentissages du programme de CP :
le niveau TRÈS FACILE correspond
aux acquis de septembre à décembre,
et le niveau FACILE à ceux de janvier à juin.

Cette histoire a été testée à deux voix
par Francine Euli, institutrice, et des enfants de CP.

Découvre d'autres histoires dans la collection

nathanpoche premières lectures

LECTURE FACILE

T'es trop moche, Jim Caboche !

de Guy Jimenes, illustré par Benjamin Chaud

Arno a très envie de **jouer** au pirate avec son **papa**. Mais celui-ci est trop occupé à réparer la voiture. Pauvre Arno ! Comment faire pour obliger son père à se battre comme tout **pirate** qui se respecte ? Il n'y a plus qu'une solution : le provoquer en duel !

Que la vie est belle !

de René Gouichoux, illustré par Mylène Rigaudie

Kouma la girafe se trouve trop **grande**. Son ami, Toriki le lièvre, lui, se dit trop **petit**. Ils décident tous deux d'aller trouver Marabout, l'oiseau-sorcier qui réalise les **souhaits**. Mais attention, la savane réserve bien des surprises…. de **taille** !

La tour Eiffel a des ailes !

de Mymi Doinet, illustré par Aurélien Débat

Aujourd'hui, la tour Eiffel a des fourmis non pas dans les jambes mais dans les **piliers** : la **dame de fer** a envie de bouger ! Et si elle prenait des petites vacances, loin de **Paris** ? Voici une **touriste** peu ordinaire !

Je suis Puma Féroce !

de Laurence Gillot, illustré par Rémi Saillard

Au supermarché, Loulou se transforme en **sioux** : désormais, il faut l'appeler **Petit Ours** ! Pendant que sa mère, Fleur de Lotus, continue les courses, le petit Indien va vivre de grandes **aventures**…

Sauve qui pou !

de Mymi Doinet, illustré par Gaëtan Dorémus

Pablito, le petit **pou**, est ravi : il a trouvé une **tête** où faire son nid ! Il glisse sur les nattes de Sara comme sur des toboggans. Mais la fillette n'est pas d'accord. Elle en a assez de se **grattouiller** la tête. Gare à toi petit pou, la chasse est ouverte !

J'aime pas les côtelettes !

de Mymi Doinet, illustré par Fabrice Turrier

Monsieur et madame Croktoucru sont fiers de leur bébé ogre ! Mais très vite, c'est la catastrophe pour les parents croqueurs de chair fraîche : Oscar n'aime ni la bouillie de viande hachée, ni les côtelettes ; il préfère la compote et les carottes ! Quelle est donc cette terrible maladie ?